D0268323

a30118 014209930b

TOURING PRODUCTION

In Spring 1985 Doric Arts Productions toured *Precarious Living* to the the North-East, Highlands and Islands of Scotland, with the following cast of characters (in alphabetical order according to character):

Annie/Bella	Una McNab
Christian Watt	Eliza (Evelyn) Langland
George/Murray	Paul Nivison
James/Commissioner/Tommy	Stewart Porter
Mary/Helen	Sheila Donald
Simon/Minister	John Mitchell

oo0oo

Set and Costume Design	Judy Haag
Director	Neil Scott
Lighting Design/ Stage Management	Alistair McArthur
Production/Publicity/ Tour Management	Sally Charlton
Production/Publicity/ Tour Management	Cassandra McGrogan

oo0oo

This tour received support from the Scottish Arts Council, and the Highlands and Islands Development Board as well as Edinburgh DC, Kincardine and Deeside DC, Gordon DC, Moray DC, Sutherland DC and Shetland Islands Council.

CHARACTERS — IN ORDER OF APPEARANCE

George Sim	Ages from eight to fifty-three. Christian's son. Taciturn.
Commissioner	A local official, doing his duty.
Mary	Aged from forty to sixty-six. Laundress. Mother of ten. Supports Christian throughout.
Annie	Ages from thirteen to forty-five. Christian's contemporary. Gutting quine and laundress. Childless. Rejects Christian after her breakdown.
Helen Watt	Ages from fifty-nine to eighty-five. Christian's mother. Fishwife. Strong minded, worn out.
Christian	Ages from fourteen to eighty-five. Gutting quine, laundress and fishwife. Mother of ten. Intelligent, imaginative with a caustic wit.
Murray Fraser	Aged twenty-one. Nephew of the Waterloo Saltoun. Christian sometimes worked for the Fraser family in the laundry at Philorth House. A reasonable young man.
Simon Lovat	Aged nineteen. Son of Lord and Lady Lovat, in whose estate Christian sometimes worked.
Tommy Strachan	Local handyman and decorator.
James Sim	Ages from mid twenties to forties. Christian's husband. Fisherman. Very attractive, an upright man with a sense of humour.
Bella Sim	Ages from five to eight. Christian's daughter. Lively.
Minister	Traditionally dressed.

CHRISTIAN WATT

Christian Watt was born in 1833 in Broadsea, a fishing village on the North-East coast of Scotland. There was already a tradition of writing in the family. Christian's Granny Lascelles, born 13 years after the Jacobite Rebellion, left a handwritten account of her own life:

'I grew up in an atmosphere of subjugation. From our earlyest age we were teached to say to those in authority that we had always seen and heard nothing.'

She describes the act of Union which

'had brought benefits to the Peers who voted for it, but had reduced the poor in Scotland to a greater servitude and poverty than they had ever known in the past.'

Christian continued this tradition, analysing the economic and political context within which day to day life was carried on in Broadsea. Courted by the aristocracy, she told one suitor's parents:

'You had dreams of huge spinning factories rising in Buchan, not, as you say, to give work to the poor but to further your own wealth and interest; and you took good care that a mountain lies between your fine house and such ugliness. You despise, but you also fear the poor, and you have every reason to do so. This massive mansion was built at a cost of seventy thousand pounds from the fruits of a slave plantation belonging to your grandfather, Menzies of Culdares. Your fine art collection has come from the sweat of thousands of human beings, both in Buchan and Jamaica; and you have the nerve to look down on any fishwife's daughter.'

Christian's descriptions of her own early years give us a vivid picture of the 1840s:

'I hated the small lines for this meant so much more work for the adults, sheeling the mussels, baiting the lines and wupping on tippings (binding the bait). My parent's day began at 3 in the morning and often ended at midnight . . I have often seen both of my parents fall down with exhaustion at the end of a day, after my father had come in from sea.'

CREDITS

I am indebted to Neil Scott for his constructive criticism, and much of the script development; to Margaret Buchan for her generous assistance with historical and linguistic facts; to Dr R. A. Y. Stewart, for his illuminating insights into Christian Watt's later years; and to David Fraser for his scrupulous attention to the script at every stage, intelligent comments and continuing encouragement.

I would also like to thank Christian's family: — James and Christian Marshall; Anne, Pat Margaret and George Scott; and George Davidson and family. Thanks are also due to the people of Broadsea and Fraserburgh in particular, Andrew Noble, Chris Reid and Lady Saltoun. I would also like to thank Annie Inglis, Rosie Jennings, Charlie King, Liz Lochhead, Sue Purdie and Pam and Doug Ritchie.

I am indebted to the other members of Doric Arts Productions; Sally Charlton, Judy Haag and Cassandra McGrogan. Without their ideas, comments, practical contribution and support, the publication of this play would not have been possible.

Additional contributions by Sally Charlton, Cassandra McGrogan and Neil Scott.

DORIC ARTS PRODUCTIONS are Sally Charlton, Judy Haag, Amy Hardie and Cassandra McGrogan. Doric was formed to research, produce and tour theatre, film, video and other aspects of the visual and performing arts.

Registered office 35 Jeffrey Street, Edinburgh EH1 1DH.

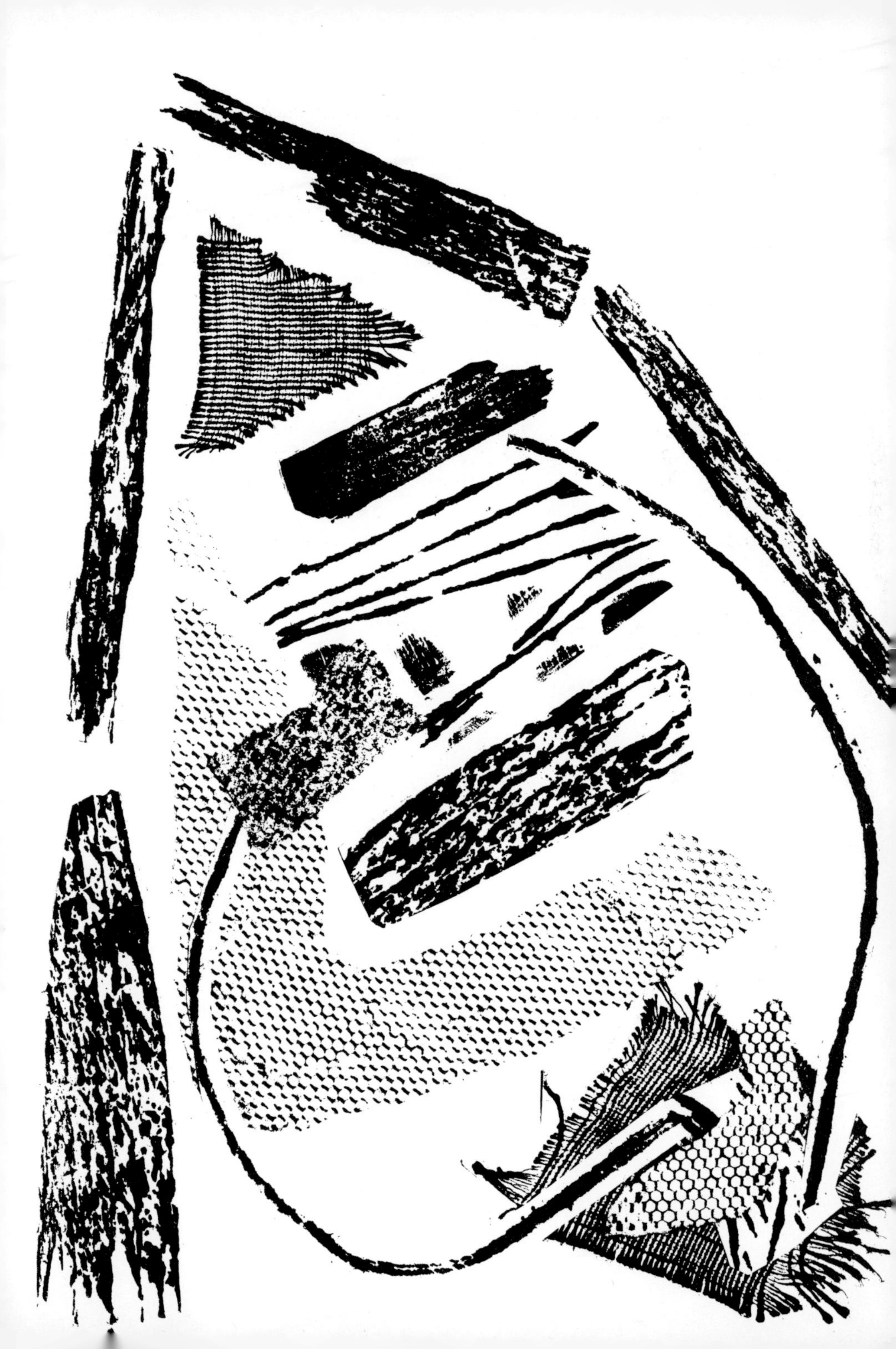

Act One

scene one

Winter 1879. The Broch Sands.

Christian Watt has been certified insane. Her house has been taken by the Crown. All her children have been taken into care except George, who at fourteen, is considered outwith their jurisdiction. George has walked out to the Broch Sands about two miles from Broadsea. He finds an upturned boat to sleep under. This is the first night he has slept alone. He carries nothing but a box of matches.

GEORGE — *(Controlled)* It's a guy cal place ye've drapt me in mither. *(Pause, angrily)* I di'a like this sand in ma hair.

George goes to sleep exhausted. The following images are taken from George's dream — they are garbled versions of conversations or stories he has been told or overheard, some of which will appear in the play. Lights up on the figure of the Commissioner standing behind the table in 72 Broadsea. Faint sounds of children crying.

COMM. — Na na, nae need tae be feart o me. Fits yer name?

GEORGE — George.

Commissioner looks at list. He notices that George has something in his hand.

COMM. — Fits at ye huv there loon?

George, who is still asleep, mimes the placing of a watch on an imaginary table in front of himself. The Commissioner reacts to this mime by picking up a real watch from the table in 72 Broadsea.

COMM. — Athing in 72's Croon property noo ye ken. *(Commissioner steals the watch)* I'm only deein ma duty. *(Continues to check the list)* George, George, there's nae George here. It is here ye bide ist? Ye're nae accoontit fer on this bittie paper laddie. Foo auld are ye?

GEORGE — Fourteen.

COMM. — Oh weel then! Yer ower auld laddie. Oot o oor jurisdiction noo. Ye maun find yerself a job man. Fars the key?

GEORGE — *(In sleep, agitated)* Should I hae handit oor key ower? The mannie took the key aff o me.

The Commissioner reaches out with open hand and remains reaching as blackout descends. Christian's voice is heard humming a tune that she learnt in America. George reacts strongly. Lights up on Mary and Annie knitting.

MARY — It's Kisten Watt.

ANNIE — . . . thinks she's different.

MARY — She dis. Her mither and faither cam oot o the line o the Frasers.

ANNIE — . . . illegitimate like. An it's nae jist her airs and graces as maks her different — strange as no loon has iver askit fer her haun.

MARY — Maister Simon o Lovat aifter her, an yon Murray Fraser o Philorth Hoose — the quine could hae bin the wife o a Laird.

ANNIE — But niver a loon as really kens her. *(Whisper)* They say her reason could ging.

MARY — There's naethin the matter wi Christian Watt's reasonin pooers.

ANNIE — She brocht it on hersel. I di'a feel sorry fer her. She should niver huv cam back frae America.

MARY — Her mither wis needin her.

ANNIE — She'd hae better served her mither by bidin in America far she wis suitit. She'd mony an opportunity!

MARY — She hud tae huv her bairns in Braidsie.

ANNIE — If ye ask me Kisten's nae fit tae hae bairns!

MARY — Haud yer tongue!

Lights down on Annie and Mary. Once again Christian's voice is heard. George is agitated.

CHRISTIAN — Oh you could hae bin the son o a laird George. Maister o Lovat. Wid ye hae likit that? *(Laughs)* Look at the stars Simon Lovat — athin we're staunin on — an athin aroon us —a' the oceans and mountains — billions on billions o tons o water, stone — a' held thegither by naethin mair than a fire in the centre — hangin in space — Simon wisna interestit in science.

George gets up — wants that attention.

GEORGE — I am! I am Mither! A the billion o tons.

CHRISTIAN — *(Laughter)* George! George! You're no scholar! Look at the stars — noo — fit ane's the Big Bear — can ye tell me? There! There! *(Kindly, motherly)* I canna unnerstaun foo yer sic a dull kin o body. It's nae as if yer faither's short o brains either. Ah weel. Fit the Lord gave us we maun be contentit wi. Fits nae gaen's nae required.

Christian's voice offstage now sings the words to the American tune. A few lines only.

CHRISTIAN — *(Speaks)* Goodbye.

End of dream sequence.

Lights come up. Mary enters looking for George. George can see her, but doesn't move.

MARY — George. George.

George doesn't answer. Continues striking matches. Mary hears, and finds him.

MARY — Ye niver slept here did ye? *(Looks at matches)* Nae much heat in yon. Fit wye did ye ging all wioot tellin a soul? Ye had us fair worrit.

George doesn't answer.

MARY — Weel?

GEORGE — I wis ashamed.

MARY — Di'a let me hear you sayin that again. You've nae call to be ashamed. Yer mither'll be hame again.

GEORGE — Fit hame? There isna onywye fer her til come back tae.

MARY — C'mon loon. We'll git yer breakfast. Ye'll git 72 back again, I'm sure o that.

Mary and George leave. Blackout.

scene two

1847. 72 Broadsea (Christian's family home).

We have now moved back 32 years in time, to Christian's own childhood. The play will now proceed in chronological order. Christian is 14, her mother is 59. Christian has slipped off the evening before, raided henhouses for eggs, and thrown them at the Tories during the hustings. She and her mother are preparing to go to the far country (Grampian mountains) on Helen's fishround. Helen is mending, meticulously, a rip in Christian's dress. It is not yet dawn. Helen wears a grey shawl. Her back hurts.

HELEN Foo can onybody ging oot of an evening wi a fish fer their granny nae a quarter o a mile up the road an git back two hoors later wi ane great tear in their frock? An then 'forget' tae tell their mither?! Christian Watt will you haud still!

CHRISTIAN I am!

HELEN Di'a spik til me like at!

CHRISTIAN I'm nae!

HELEN *(Clouts her on head)* Div ye want tae come wi me or nae? I'll easy leave ye ahint. Ye can look aifter yer faither an yer brithers . . . *(Discovering egg in Christian's pocket)*

CHRISTIAN I'm comin wi ye . . .

HELEN Fits is?

CHRISTIAN I believe it is an egg.

HELEN Withoot a doot. Far did it cam frae?

CHRISTIAN Ye winna like it.

HELEN No.

CHRISTIAN Though it wis a good reason.

HELEN Aye.

CHRISTIAN Ye micht even hae din it yersel.

HELEN Is at so?

CHRISTIAN Maybe. *(Whispers to her mother)*

HELEN Fa?

CHRISTIAN I didna get his name. The Tory mannie.

HELEN So ye wis at the hustins. Div ye think we can afford tae waste food fer you tae develop yer "political outlook"! Throwin eggs at the Tories! Fit wid yer faither say!

CHRISTIAN "Waste o a good egg". I missed ma first throw.

HELEN It's nae laughin matter.

CHRISTIAN At's jis fit the returnin officer said . . .

HELEN Did they see ye?

CHRISTIAN No.

HELEN Ye'll land yersel in trouble quine. Is is fit they learn ye in school?

CHRISTIAN Mr Woodman says we maun tak an active interest in the elections. I need sheen fer the school.

HELEN *(Pause)* Ye canna hae fits nae there.

CHRISTIAN The ither bairns wis laughin at me.

HELEN The ignorant can aye laugh. It wis you as wantit oot o service.

CHRISTIAN I di'a like it. The scrubbin brush hudna three bristles on it — stuck in yon poky wee cupboard a' nicht, the hale day inside.

HELEN But it's a bonny place, Philorth.

CHRISTIAN Nae fit I see o it.

HELEN You're related, ye ken. My great great grandfaither was the 11th Lord Saltoun, William Fraser o Philorth. I wis up at the hoose aince. Fit a job it must be tae heat a' that space in winter. Did ye see at black deece in the hallway?

CHRISTIAN See it? I polisht it ivery day fer three month.

HELEN An so ye should. It's your heritage as well as theirs. There's a lot o history in some o yon furniture.

CHRISTIAN I di'a like bein caad a' the time by ma surname. Watt! Watt! Like I wis a dog or a cat!

HELEN That's the wye o it. But it pays ye a steady wage and ye've yer keep fan the guttin's finisht. At's mair than ye can say fer the fishroon.

CHRISTIAN I'm nae going back.

During Helen's next speech each helps the other on with their loaded creels.

HELEN Ye'd do better in the laundry maybe. But we'll see foo we are aifter this lot's bin sellt. Pay no heed tae the toonsfolk Kisten. You come frae a skeelie folk yersel. I doot there's nane o them as has iver set foot in a boat! But yer ain faither's bin tae the Hebrides, the Shetlands, Greenland — wi naethin mair nor the stars and the sun tae guide him. The fishers were the first chosen o Christ — you think on that for a whily.

Christian and Helen leave with their creels on their backs as the dawn comes up. Slow fade down to blackout.

scene three

1852. The laundry at Philorth House.

Christian aged 18 is now working in the laundry at Philorth with Mary and Annie when she is not working in the gutting yards. Annie is also 18 and a gutting quine. Mary is a washerwoman. She has ten children. They are continually scrubbing, ironing, folding and sorting washing throughout the scene. Murray Fraser is 21 years old, an honourable and likeable young man. Lights up on Mary, Annie and Murray. Christian is offstage, but within shouting distance, collecting washing.

ANNIE — Kisten! Kisten! There's a young man askin aifter ye!

MURRAY — No. In fact I wasn't . . . I simply wondered whether you were in fact here.

MARY — He has some handkerchiefs fer cleanin — is at nae richt?

MURRAY — Yes, em, here they are.

MARY — Apparently these handkerchiefs require your personal attention Kisten — wis at fit ye said?

MURRAY — No, not at all, anyone can do them, really.

CHRISTIAN — *(Entering)* Fits iss requirin my personal attention?

MURRAY — Not my handkerchiefs. Shall I put them here?

MARY — At looks fine tae me, aye.

MURRAY — Em, thankyou. Goodbye.

As Murray leaves, and without Annie or Mary seeing, Murray gives Christian a huge grin.

ANNIE — Fit wast ye said til him Mary?

MARY — If you come in here one mair time laddie I'll take ye on as an assistant . . .

ANNIE — Tuppence a day — that wid be a cut in his standard o livin.

CHRISTIAN — There's naethin atween me an Murray Fraser . . .

ANNIE — That a blin mannie couldna see . . . If it's nae Murray then it's Peter an if it's nae Peter then it's Simon — she's half the loons o the country aifter her. Could ye nae think tae leave a puckle of the critturs for the rest o us?

MARY — Aye. She's fairly in wi the toffs — though yon Peter's a good lad.

ANNIE — Oh but a farm labourer wouldna dee fer oor Kisten — it wid hae tae be Simon o Lovat or yon Murray Fraser.

MARY — Seems tae me ye'll be mairrit afore the year's oot Kisten.

CHRISTIAN — Na na Mary. I've mair sense nor that. I've my ain plans fer the future.

ANNIE — Oh ye have have ye? Nae contentit even wi bein a laird's wife?

CHRISTIAN I'm eighteen! There's a hale world oot there Annie. It's jist feel tae marry young an hae bairns strung roon my neck like tinkies pails fer the rest of my life. Besides, I've nae made up my mind atween Murray and Simon yet!

ANNIE Huh! Aricht fer some! I thocht Murray wis awa til India.

CHRISTIAN Well that's jist it. An I'm nae gaen there. I've read a' aboot it. Beggars wi only sockets fer eyes. An div ye ken fit they dee with their ain mithers an faithers fan they're deid?

MARY Fit?

CHRISTIAN Burn em!

ANNIE No!

CHRISTIAN Like Guy Fawkes on the bonfire! Yukk. Na, na. I maun be burit in Kirkton o Philorth. Wi a" my kin aboot me.

MARY Though Murray's a good man. Worth ten o that Simon if ye ask me.

CHRISTIAN Jist a bit toothy!

ANNIE Ach — she's in love wi yon lang gype Simon — ye can see it frae here.

CHRISTIAN Na na. To tell ye the truth I dinna think I'm in love wi either o them! If providence is a lady she's surely got a sense o humour cos here's twa men as are aifter me — an I'm nae interestit in either!

ANNIE An Peter's a bit o a commoner!

CHRISTIAN Och awa!

MARY *(Picking up sheet)* Now you twa . . . look at is! Her ladyship's surely hud a visitor. Aye, ye dinna ken fit yer missin Kisten. Love. Muckle foul sheets an marks nae amoont o rubbin will git oot!

ANNIE Passion — oh it maun be a wunnerful thing richt enough!

MARY At's enough Annie. Tell us aboot London then Kisten. I thocht ye micht hae picked up some manners there. Fit did ye git frae the auld Lady Saltoun? She wis tellin me tae expect you in new finery? Fas makkin it up fer ye?

CHRISTIAN Makkin it up?

ANNIE Yer new goon! Frae Lady Saltoun. Yer present for accompanying her tae London toon! Ya gowp! Nae wunner she gits a' the lads.

CHRISTIAN Oh — but I wantit a dictionary.

ANNIE AND MARY A dictionary!

MARY — Och she'd look richt braw in a dictionary. . .eh Annie *(Pause)* But fit dis yer mither think o a' this book-learnin fer ye?

ANNIE — An gaddin aboot?

CHRISTIAN — Oh she's a' for it. Half o the time! She aye says she wishes she'd gotten mair education hersel. Though she winna tak the chance fan its offered her. *(Annoyed)* I'd like tae see her intae a dressmaking business — she's nae doin hersel ony good trampin up an doon thae roads.

MARY — Aye her health's nae as good as it wis.

CHRISTIAN — It's nae! That's fit wye it's daft nae tak fit belongs tae us an set up a wee business in Aberdeen. Or here — gin we can git onybody tae pay cash.

ANNIE — Tak fit belongs tae ye — fit are ye takkin aboot?

CHRISTIAN — It's money frae Sandy — och div ye nae mind fan Sandy wis killt? My brither Sandy? Weel it turns oot he had some money saved for us. But its in New York — and nane o the lawyers here seem willin tae dee onythin aboot it. So I thocht I'd ging masel.

ANNIE — Yersel? Are ye nae feart?

MARY — Fit wid she be feart fer? You git oot there Kisten. Tak fits belongin tae ye. Pay nae heed til yer mither. She's a good soul — a better hearted wifie niver breathed — but she's aye bin ower cautious. Git oot noo Kisten. While yer young. Afore ye've ten geets an a man haudin ye tae the one place. If it wisna fer ma ain brood I'd be comin wi ye!

ANNIE — *(Looking offstage)* Christian c'mere. Look fit MacDowell's got on the day!

CHRISTIAN — *(Following Annie's gaze)* At least her paps is in place . . .

ANNIE — Christian!

MARY — MacDowell has "bosoms".

CHRISTIAN — Oh but it's nae mean feat Mary, keepin thae bosoms under control. Annie an masel — fer it takes the two o us — knee in the back — an jist fan we think we're gittin somewye . . .

ANNIE — Splat!

CHRISTIAN — A huge pap shoots oot an hits ye in the face!

MARY — Oh git on wi ye's!

Mary shoos them out of the laundry.

CHRISTIAN — She'd hae likit it fine in London though — ye should see the wye the housekeeper treatit the servants — it's *(Curtseys)* this, an this, an please yer ladyship and thankyou yer ladyship . . . first time I saw them bobbin up an doon in ae corridor I thocht it wis strip the willow they wis startin.

Bell rings!

MARY — At's the young ladies.

ANNIE — Murray's sisters — wid ye nae like tae be up there wi them Kisten?

CHRISTIAN — Ringin the bell fer things they could git up an git fer themselves?! Only thing I can see Murray's sisters gittin is piles — huv they niver thocht tae tak up some useful employment?

MARY — Huv I tae gang masel? Annie — git on an see fit they're wantin.

CHRISTIAN — They canna even tak a walk tae the Broch but a wifie has tae escort them! Like a shadow — it wid gie me the creeps.

Annie begins to leave.

MARY — Though ye widna catch Annie on the Broch road hersel.

ANNIE — I heard at! *(Bell rings again).* It's nae caad Witchhill fer naethin.

CHRISTIAN — Ye di'a believe in a' thae auld fraits div ye?

MARY — But Kisten, Annie's cousin's sister's Uncle George tellt her . . . *(Bell rings)* Git on Annie!

ANNIE — He heard hooves — the hooves of a heidless horseman!

CHRISTIAN — Na . . . jist by the clatter o its hooves an he could tell the mannie hud nae heid!

ANNIE — *(Offstage)* Folks huv seen it.

CHRISTIAN — Lot o dirt.

She and Mary pack up smiling at each other. Blackout.

scene four

1852. Broch Sands, at night.

Christian is waiting for Simon Lovat. It is dark. Offstage is a faint sound that could be the clattering of hooves.

CHRISTIAN — Lot o dirt.

Simon enters carrying lantern, which is the only illumination.

CHRISTIAN — Simon Lovat is at you?

SIMON Good evening.

CHRISTIAN It's quite a road frae Strichen, eh?

SIMON How was your day?

CHRISTIAN Nae bad really. I was inside fer the maist o it, up at the laundry.

SIMON By far the best place to be. *(Sees her bare hands)* You should have gloves. *(Takes her hands)* Goodness. You are cold.

CHRISTIAN Ow!

SIMON Oh I'm sorry. Did I hurt you?

SIMON Aye its the hacks on my hauns.

SIMON Let me see.

CHRISTIAN Its frae the salt. So as ye can get a grip o the herrin. Aye, its a slippery kin o a fish, herrin. *(Laughs)* But you widna ken aboot anythin like at wid ye Simon?

SIMON Not a thing. You shouldn't either. You're far too bright to remain in Broadsea Christian.

CHRISTIAN Fits wrang with Braidsie?

SIMON I think you can probably answer that better than I can.

CHRISTIAN Shhh. Look at the stars.

SIMON You can stand on the equator and they'll still be there. And the same moon.

CHRISTIAN But in a different position. It's a cal moon as rises ower Braidsie — look! *(Simon brings lantern to Christian's face. He looks at her. She looks at the sky)* Ye could amost realise it's jist a bit o rock we're staunin on. A' the oceans, moontains — floatin in space.

SIMON *(Almost to himself)* I shall speak to my parents. I have to marry some day.

CHRISTIAN Held thegither by a fire in the centre. We're jist hangin in a' this . . .

SIMON Copernicus was burnt for less.

CHRISTIAN Fa wis Copernicus?

SIMON *(Leaving)* A heretic. Like you my dear . . .

Blackout.

scene five

1852. Laundry at Philorth.

A few days later. Annie is on her own, ironing. Tommy Strachan enters. He is the odd-job man/decorator at Philorth House.

TOMMY Weel Annie.

ANNIE Tommy! Hullo! Fit brings you oot this wye?

TOMMY It's nae you onywye — so dinna stairt gittin ideas!

ANNIE Makkin a few assumptions aren't ye?

TOMMY Nae mair than usual. Nae mair than I deserve.

ANNIE Uh huh? Weel Tommy — by the looks o ye ye've surely got summat yer dyin tae tell.

TOMMY But wid I waste a guid story on an audience o jist yerself?

ANNIE I wid say so.

TOMMY An ye'd be richt. Fit d'ye think is a' the claik noo at Strichen hoose?

ANNIE Git on.

TOMMY Weel. Last Thursday the Lovat's door was opened tae nane ither than Miss Christian Watt.

ANNIE Oh?

TOMMY Fa gits shown intae ane o the Lovat's drawing rooms. In she wakks, payin nae heed ava til her dubby boots on the Lovat's bonny oriental carpet. Weel. It turns oot that Kisten an Simon hae bin courtin. An the mistress of Lovat had gotten wind o this, and askit Kisten up fan Simon was awa. Weel. There was some gey things spoke that evening I can tell ye!

ANNIE Did they hae words?

TOMMY Words couldna describe it. Their swank English butler heard it a'. Though ye didna hae til huv yer ear at the keyhole tae ken fit wis goin oan. An it reely got goin fan her ladyship says 'One must maintain a level of standards'. An Kisten points oot the difference atween their hoose an oors and says it wis be a fine day fer them gin the poor was tae maintain standards. So they stairts on aboot equal opportunity for a' an Kisten coonts up the years it wid tak her tae afford a hoose like Strichen at the rate they pye —siventeen thoosan years I think wis the sum she cam oot wi — and a' the whiles the Lady's squintin in aboot the quine's belly tae see if it's ower sized an then her man must hae said summat for her Ladyship says 'Tam! It is unthinkable that Simon should marry the fishwife's daughter — the girl has no education' an Kisten turns roon and says she's as well educatit as onybody in that room an foo their Eton and their public schools jist sets their mind like treacle candy an it needs a guid hammerin tae brak it so her Ladyship's gittin fair worrit . . .

CHRISTIAN *(Has entered)* Oh hullo Tommy.

TOMMY Weel Kisten! An foo's yersel?

CHRISTIAN A bitty behindhan wi the news o me — frae fit I hear.

TOMMY Weel noos yer chance tae make up.

ANNIE Is it a' true then?

CHRISTIAN Well I dinna ken a' fit Tommy's bin sayin tae ye.

ANNIE Aboot Lady Lovat . . .

CHRISTIAN Weel I suppose it is.

ANNIE Fit were they sayin til ye?

CHRISTIAN Ask Tommy, I wouldna like tae interrupt him.

ANNIE Aw come on. Fit wis they sayin?

CHRISTIAN They wis askin me questions aboot workin folk an answerin themsels.

ANNIE An askin ye aboot Simon?

CHRISTIAN An tellin me aboot Simon. 'There are two sorts o birth my dear'.

ANNIE Fit did ye say?

CHRISTIAN O I agreed wi her.'Aye' I says, 'natural an caesarean.' 'Oh', she says, 'oh'. An oot she gangs. I wis mad. 'Yer heart is as cal as yer backside's reputit tae be' says I. She wis off. His Lordship was stirtin tae habber. 'N-n-n-no one has ever sp-sp-spoken to her Ladyship like this.' I tellt him he should try it himsel. Fit can ye dee? If ye insult folk ye ask fer it.

TOMMY Exactly so Kisten. Exactly so. I couldna hae put it better mysel.

ANNIE Tommy Strachan. You couldna hae put it ava. *(Sees Murray)* Kisten! Here's yer ither big chance.

CHRISTIAN Tommy! Weel Tommy I niver kent . . .

ANNIE Na na.

MURRAY *(Enters)* Hullo.

TOMMY I must be on my wye. Kisten, Annie.

ANNIE I'll see ye oot Tommy.

Annie follows Tommy out.

CHRISTIAN Murray. Fit can I dee fer ye?

Murray hands over a small amount for washing.

CHRISTIAN Jist the usual.

MURRAY You've come back from Strichen.

CHRISTIAN Aye.

MURRAY Did you enjoy yourself?

CHRISTIAN Oh aye there's naethin like liftin stanes a' day tae keep ye swack . . . No but it is fine tae be in the fresh air.

MURRAY How are your parents?

CHRISTIAN Fine. Fit wye?

MURRAY No special reason. Just making polite conversation.

CHRISTIAN Oh aye.

MURRAY How are you?

CHRISTIAN Much as you see me Murray. *(Pause)* Fed up tae the back teeth wi Braidsie. *(Annie giggles offstage)* Sometimes I canna thole this place.

MURRAY Really? *(Pause)* I heard . . . I heard you'd seen through that Simon fellow.

CHRISTIAN Is at fit ye heard?

MURRAY More or less.

CHRISTIAN I got a letter from him. Addressed tae North Britain. Frae Beauly! He says he thinks he's maybe nae ready yet fer marriage.

MURRAY You should take your mind off it.

CHRISTIAN I huv. Funny thing is — they thocht it wis me insultin them.

MURRAY Come off it Kisten — you were!

CHRISTIAN No. I wis conductin my ain defence.

MURRAY Well I'm sorry and I'm not sorry. There are other men.

CHRISTIAN I hud heard.

MURRAY What a nasty tongue you have.

CHRISTIAN Och ye ken I di'a mean . . .

MURRAY . . . and it's not as though you don't really mean it either. You know I'm off to India next month?

CHRISTIAN No Murray really? Weel. But it's aricht fer some. Gaen back tae yer army are ye?

MURRAY Yes. Rejoining the regiment. Christian. Do you think you could put that down for a moment? *(Iron)* Listen. I want you to come with me to India. As my wife. Seriously. You'd still have your independence. I've thought about it carefully. We could set up a fishround in Calcutta.

CHRISTIAN A fishr . . . in Calcutta?? Huv ye lost yer reason entirely?

MURRAY You said you wanted to travel, I remember you saying it, that you wanted to get out and see the world, how you weren't going to settle down and marry . . .

CHRISTIAN I kent er wis somethin'.

MURRAY . . . A fisherman. And we get on pretty well together. You'd like it, I know you would. You'd meet my brother officers, they're splendid chaps; they'd all admire you so much. And you'd like them. And you'd make most of their wives look like sacks of potatoes.

CHRISTIAN Sounds like I'd end up verra lonely then, in India. I like ma friends Murray — the place far abody kens me. An fit aboot yer family?

MURRAY I've spoken to my uncle. He thinks it's an excellent idea. Said he'd have married you himself had he been forty years younger . . .

CHRISTIAN But I've offert tae find him a wife arready — on commission staunin on his total possessions.

MURRAY He told me. He called you a Tolpuddlian Tory.

CHRISTIAN Me? Tory? Na na. Git ane thing richt Murray. I'm staunchly radical, labourin. *(Bell rings)*

MURRAY Don't go.

CHRISTIAN I'll git intae trouble. It's yer sisters.

MURRAY I'll explain.

Annie, who has been eavesdropping, from offstage.

ANNIE I'll go.

MURRAY They're alright really you know, my sisters. Have you ever spoken to them?

CHRISTIAN They winna pass a remark o the day til us.

MURRAY Honestly, you should try speaking to them. They would learn a lot a from you . . .

CHRISTIAN Laddie — yer sisters look on me as dirt. *(Pause)* Abody wid say foo lucky I wis. A commoner. Gittin mairrit tae ain o the Philorth Frasers.

MURRAY — I'll explain to them. I'm the lucky one.

CHRISTIAN — Murray! Do ye nae see foo gallin it is? 'Kisten fair struck it fan she marrit intae the gentry'. Div ye think yer sisters wid allow me tae forget I wis the wifie that cam in wi the fish? I di'a think its honestly possible Murray.

MURRAY — But I'm as poor as you are — my uncle paid for all my education.

CHRISTIAN — Murray Fraser! You could buy an sell me with the cut o yon jaiket!

MURRAY — Done!

CHRISTIAN — In a manner o spikkin. *(Pause)* I canna.

MURRAY — Why not?

CHRISTIAN — I jist canna.

MURRAY — But what else will you do?

CHRISTIAN — I'm goin tae America.

MURRAY — America? Do you know where America is?

Christian stares at him.

MURRAY — Sorry. You don't deserve that. I'd like, I'd like you to reconsider. Are you really going to America?

CHRISTIAN — Aye. Murray — I'm nae in love wi ye.

MURRAY — You would become in love with me. When we're in India. Just the two of us.

CHRISTIAN — . . . Listen. I am verra flattered. And mair nor that — we're friends Murray. But it's jist nae possible.

MURRAY — You won't come?

CHRISTIAN — No.

MURRAY — Are you really going to America?

CHRISTIAN — Aye.

Murray leaves. Lights down on Christian watching him go.

scene six

1857. America and Broadsea.

Christian is in America: the land of opportunity. Anything is possible here. The sense of liberation contrasts with Helen sitting reading a letter from Christian in 72 Broadsea. Both New York and Broadsea should be shown at the same time.

CHRISTIAN *(Voice)* I consider it a privilege to be in New York, so lucky in my employers. I've had a week's holiday, it was paid for by the Jeromes. I've made a real friend in Mary Goldie who is from Ayr. We hake awye thegither. Sailors whistle and wheep at us, but we pay no heed. A man kept winkin at us — I said the poor chiel must hae summat wrang wi his ee. The fashions are lovely here, I make all my own clothes an watch the papers for the pattrens. I went to meet Watty's widow's parents. They're not unlike yourselves. I think you would have likit it here. The eight months have passed like nothing.

Christian picks up bag and leaves New York.

HELEN *(Putting letter away)* Oh but we canna come oot til America Kisten. We're ower auld fer sic a caper.

Helen gets up. Christian enters 72 Broadsea with bag.

HELEN Kisten! I amost thocht ye'd nae come back!

CHRISTIAN I hud tae come back. Foos faither?

HELEN Fine. He'll be pleased tae see ye lass.

Christian takes out a table-cloth to give Helen, and an envelope containing Sandy's money, which she lays on the table.

CHRISTIAN See — a' the wye across the Atlantic.

HELEN Kisten! Fit will an auld body like masel be doin wi this? Yer ower generous quine.

Christian brings out safety pins.

CHRISTIAN An look at this — a bitty newfangled ken — it's safety pins they ca them.

HELEN *(Laughing quietly)* Ye've niver grown up quine! A the wye across the ocean, an back, an yer aye the same daft bairn! *(Picks up Sandy's money)*

CHRISTIAN Ye'll need that tae get startit mither, tae pay the rent on a shop. In Aberdeen mither, nae here, you'll be tickit oot at the door, ye'll niver make a penny here, yer ower soft, ye'll dae athin on credit. *(Speaking rapidly trying to keep mother's enthusiasm to overcome her refusal to use Sandy's money)* No, ye've tae set up in toon, Mary says so as well . . .

HELEN Kisten. Is this Sandy's money?

CHRISTIAN It's oor money.

HELEN Christian I am not touching this. You hae it quine.

CHRISTIAN	Ye need it tae git stairtit — please! I want ye off the road. Travelling aboot wi yon creel on yer back... Wadin intae the sea wi ma faither on yer back so he winna staun in wet sheen. Mither! It's nae life fer ye!
	The money is left on the table.
HELEN	No. An that's an end to it. *(Pause)* America. It's nae abody's cup o tea. There's bin a sad trail o men through these parts Kisten — Highlanders frae Skye. Lookin fer work, money, tae send tae their families as huv bin shipped tae America. *(Takes out newspaper)* I got this off o Mary.
	Christian takes it.
CHRISTIAN	Ugh! It's a' sticky!
HELEN	Her piece wis wrapped in it. Read it alood will ye quine. My een arna as good as they wis.
CHRISTIAN	'The Skye Emigration Society. Her Majesty has graciously subscribed £370 towards this benevolent fund'! Gracious my . . .
HELEN	*(Interrupts)* Christian!
CHRISTIAN	Sorry. 'We believe Government is so far alive to the importance of supplying gospel ordinances to our self-expatriated . . .
MURRAY	Self?
CHRISTIAN	Aye — did ye nae hear mither? Wi this nippy weather we've been haein they're settin fire tae their ain hooses fer a bit warmth! 'Our self-expatriated fellow countrymen as to be willing to afford a free passage to clergymen' — o ye'll like this mither — 'but not to their families . . . two thousand emigrants will be dispatched and efforts are in the making to induce Government and to give the ship "Belle Isle" . . .
HELEN	Are they trying tae be humorous?
CHRISTIAN	'to convey a third thousand. Sir Edward Coffin . . .'
HELEN	Sir Coffin? Govydicks — they surely foond the richt man fer the job.
CHRISTIAN	'is now at Portree, deputed by the Emigration Society to superintend the operations and organise local communities . . . . . they were a healthy, clean-looking body of people, and cannot fail to do well in the New World.
HELEN	At's disgustin at. Ask Mary aboot the Highlanders. She's taken a few o them unner her roof. Puir half-starved critturs. They've nae chance o gettin work here though. Abody's

fichtin tooth an nail fer fit there is. Weel quine. It's a sad place ye've come back tae.

Christian, thinking, absent-mindedly picks up Sandy's money.

HELEN Put that doon!

CHRISTIAN Mither! Ye maun forget.

HELEN Aye. But it's nae sae easy done. Yer ain son. Ye'll discover yersel in time. It's like — there's a length o tow. Wrappt aince roon yer ain heart. Aince roon his. It's nae a matter o choice. An fan it gets cut, weel, ye sort of shrivel. There 's a terrible violence done fan a body is drooned Christian. To the man himsel — fa maun lie unburit, turnin this wye an that, jist as the sea turns him — an to those as canna forget him. As can niver say goodbye.

Footsteps outside.

HELEN At'll be Murray. He'll hae seen ye arrive. He's on leave.

CHRISTIAN Far are ye goin?

HELEN I'm awfy easy tired in ma auld age Kisten. You see to him.

Helen goes into the butt end. Christian lets Murray in.

CHRISTIAN Murray! I got yer letter. Thank you.

MURRAY It was nothing. I wish . . . was America good to you?

CHRISTIAN Ower good.

MURRAY You didn't want to come back?

CHRISTIAN I promised. How was India?

MURRAY Hot.

CHRISTIAN Aye. New York was warm too. Foo lang huv ye on leave?

MURRAY Another eight days. Will I see you?

CHRISTIAN Oh I think so.

MURRAY Christian, Kisten, that offer — it's still open you know.

CHRISTIAN Mither's grown auld. I canna leave again. I canna leave my parents.

MURRAY No. *(Pause)* We could take them with us.

CHRISTIAN *(Sad)* Ye canna jist uproot folk. 72 is their hoose. Awyse hus been. My hoose too. I huv tae bide here.

MURRAY I don't think that's true.

CHRISTIAN Is it nae?

MURRAY I think you have a choice.

CHRISTIAN We have a sayin here Murray. Ye'll maybe no unnerstaun it. 'Fits afore ye winna gae bye ye'.

MURRAY I don't understand it. But make sure you're doing this for the right reasons.

Mary and Annie are heard approaching.

CHRISTIAN Here's Annie an Mary. Ye'd best go. Or we'll niver hear the end o it.

MURRAY *(Leaving to avoid Annie and Mary)* But will I see you?

CHRISTIAN Aye.

Mary and Annie enter. They are carrying their boots.

ANNIE Here she is! I tellt ye Mary — Mary didna believe me but I said it wis you . . .

MARY It's good tae see ye back Kisten. There was speak that ye widna come back.

CHRISTIAN Oh I hud tae come back.

ANNIE Fer yer young man! Fans it tae be then?

CHRISTIAN It's not.

ANNIE Yer nae greetin are ye?

CHRISTIAN Greetin! Fas greetin?

MARY He niver wis your type onywye.

ANNIE A bitty high and michty.

CHRISTIAN There's naethin high and michty aboot Murray Fraser . . .

MARY No . . .

CHRISTIAN *(Catches sight of Annie's ring)* Annie!

ANNIE Aye, ye maun congratulate me Kisten.

CHRISTIAN Oh Annie — I almost forgot! Congratulations. Jamey's a richt good lad. I hope ye'll be happy thegither. I'm sure ye will.

ANNIE So div I! *(Picks up shawl)* Oh I say! Verrra nice! Is it tae start yer mither off in her dressmakkin business?

CHRISTIAN No I bocht it fer masel. But mither winna tak the money.

MARY She maybe will in time.

CHRISTIAN Uh uh. I ken her.

MARY *(Pause)* C'mon quine. Come wi us doon tae the boats. The lads'll be waitin.

They walk from 72 Broadsea to the sands.

ANNIE Is that the Seaqueen?

MARY — There's yer Jamey Annie! Div ye see him! Oh — an there's Tom — in the Venture.

CHRISTIAN — Oh aye — jist roundin the point. *(Annie starts kilting up her skirts)* Oh but they'll be five minutes yet — ye'll tak yer death meantime Annie.

HELEN — It's nae cal Kisten — yer stay in America's surely made ye soft . . .

ANNIE — Wishin ye were still there are ye, wi yer posh employers an athin equal!

CHRISTIAN — *(Mildly)* Na na. I'm glad tae be back. But I'm needin a' the news. Foo is abody?

MARY — Oh jist the same — though we've the new Lady Saltoun here noo. She's fair lettin the wind intae the Saltoun's purse!

CHRISTIAN — Fits she like?

MARY — Weel she seemed a sensible enough body at the stairt — an then she took tae givin oot charity! Goin tae folk wi a few cold tatties an a spoonful o mince! Ye'd think a grown woman wid hae mair sense!

ANNIE — Kisten maun hear aboot fan she went visiting Annie Catheid — tell her Mary . . .

MARY — Well ye ken fit type o woman Annie Catheid is — an the new Lady Saltoun comes trippin oot o her gig wi shoes gittin a mucket. So — up she gings til Annie's door — an Annie stauns there lookin at the damned silly expression on the wifie's face an she taks that filthy rag as goes by the name o her towel and wipes a a chair sayin, polite as ye please, 'Put yer arse on a stool yer ladyship'.

All laugh.

CHRISTIAN — But fits a' this I hear aboot the Highlanders?

MARY — Oh we've hud a load mair o them. Lookin fer work on the boats.

ANNIE — Fan there's scarcely enough fer oor ain men.

MARY — There's some o em as had terrible stories tae tell. Puir puir soules. Ane mannie's hoose hud bin fired . . .

ANNIE — Oh yon wis horrible — though if ye ask me they Highlanders huv sic a love fer a story . . .

MARY — I hardly think yon mannie wis thinkin o oor entertainment aifter a' that he'd bin through.

CHRISTIAN — Fit wis it then?

ANNIE — Oh it's a stupid story onywye. The mannie's hoose wis burnt doon. He hud a cat. It ran oot — jist as ye wid expect ony self-respectin cat tae dee. The mannie went tae catch it. But the factor catchit it.

CHRISTIAN An wis the cat a' richt?

ANNIE The factor threw it back in. It cam oot at the end, creepin oot, the mannie said. Its richt side wis a' burnt awa, its guts wis draggin along the grun. Pugh! He hit it on the heid wi a stane.

MARY It was the smell o it the mannie mind on.

CHRISTIAN Ugh!

ANNIE Ye dinna believe it dee ye?

CHRISTIAN Horrible!

ANNIE I dinna.

CHRISTIAN Horrible.

ANNIE I said he shoulda made it his supper! They're aye goin on aboot haein naethin tae eat.

Christian looks very sick.

MARY Haud yer peace Annie.

ANNIE Fits up wi you? Oh, we've upset oor lady's sensitive stomach huv ye? Wid ye nae care to feast on pussycat pie m'lady?

CHRISTIAN Shut yer mooth Annie!

ANNIE Fa div ye think you're tellin tae shut yer mooth? Miaow!

Looks out to sea, sees the boats.

ANNIE Ats them! There's Jamey! Are ye richt Mary?

MARY Aye. *(Mock groan)* I maun get that man o mine tae haud steady on the breid — he's gittin a terrible weight tae carry.

ANNIE Och its the drink that maks the belly on your Tom, Mary.

MARY Ye dinna hae tae tell me fit I ken aready! It'll be doon the road to the Inn soon as I've cairrit him ower — an rollin back home at midnight.

ANNIE *(Imitating drunken Tom)* Och is that you Mary? Yer lookin very boo . . o . . ootiful the nicht . . .

MARY An me in ma flannels an woolly socks. That's fits ailin ye Kisten — a fine healthy quine like yersel — yer needin tae get mairrit.

MARY A bit o real chave in yer life, eh Kisten?

MARY Aye quiney, yer lackin a man.

Mary and Annie go off to carry their husbands in from the boats. Blackout.

scene seven

1858 New Year's Day. Rosehearty Walk.

The Rosehearty Walk is a traditional walk, mainly for couples, who walked, arm in arm, in a long procession from Broadsea to Rosehearty. Festive atmosphere. Christian is alone, watching.

JAMES — A bonny quine like you — div ye nae want to walk wi a' the ithers? Wakkin a' by yersel on the Rosehearty Walk?

CHRISTIAN — Walking? I wis jist bidin here . . .

JAMES — But we canna hae that . . .

CHRISTIAN — Minding my own business . . .

JAMES — . . . a bit of company is fit you require.

CHRISTIAN — An here wis me thinkin I hud the best o company arready.

JAMES — Far is he?

CHRISTIAN — He? Na, na laddie, I wis thinkin o masel . . . it wis a joke, ken . . .

JAMES — Nae jist bonnie — bairns an a' — I can see I'll hae til keep on ma toes.

CHRISTIAN — You're surely tall enough already.

JAMES — *(Bowing)* Madam— may I tak yer arm. *(Does so)*

CHRISTIAN — *(Blushes)* Please don't — I don't really know you.

JAMES — I dinna believe it — you're blushing. An I wis thinkin fit a woman o the world you were.

CHRISTIAN — I am not blushing. *(Walks off. He keeps hold of her arm)* And I don't know you.

JAMES — A lamentable oversight on my part — a past mistake I'll begin to rectify richt this very minute — if you'll allow me?

CHRISTIAN — Huv I the choice?

Mary enters carrying a basket.

MARY — Weel weel. *(Tone of great excitement)* Will ye nae introduce me to your young man Christian?

CHRISTIAN — He is not my young man! *(Unconvincing)* He's called, em he's called . . .

JAMES	James Sim. Pleased to meet you Mrs?
MARY	Lunan. James Sim? Are you from these parts then?
JAMES	No ma'am, it's 13 Pitullie I come fae. My mither is Janet Sim.
MARY	Jinna Carlie? Och I ken yer mither's family — tell me laddie, are you nae the loon they ca Jimmy Brave fer a tee name?
JAMES	Aye. *(Looks uncomfortable)*
MARY	This is the loon that swam in yon terrible sea through to the Norwegian ship wi a runnin line. Saved the crew.
CHRISTIAN	So yer a hero are ye?
MARY	Dinna heed her James. She's got a tongue on her you could slice loaf wi. Foo is yer mither the day?
CHRISTIAN	She's in her bed again.
MARY	I'll jist tak this up til her. *(Indicates basket)* Leave you two young folk tae yer ain pursuits. But I'll be in by later Kisten.
	Mary hurries off towards 72 Broadsea.
JAMES	Ye want tae ken aboot my past life noo? Things are lookin up, lookin up . . . wid ye like the heroic past — or the real one? I wis an admiral in Her Majesty's . . . ? No? Weel. I wis in the Navy, fought in the Crimean, saw there wis no future. So I cam oot. Fit a blessing eh? Fer baith o us?
CHRISTIAN	Foo div ye mean?
JAMES	Foo div ye think I mean? Will I see you again?
	Christian nods. James leaves. Christian goes to 72 Broadsea. Mary comes out from butt end.
MARY	Yer mither's a bitty better the day. Weel Kisten. Weel weel. A fisherman.
CHRISTIAN	A fisherman? Oh Mary. I hardly ken if I'm staunin or sittin.
MARY	Oh I'd sit.
CHRISTIAN	Uh huh.
MARY	Christian Watt in love.
	Blackout

scene eight

1858, April. 72 Broadsea.

Lights up on James sitting. James and Christian have been contracted in handfast for four months.

JAMES Christian Sim. Noo dis that nae huv a certain ring aboot it?

CHRISTIAN Fit sort o a ring div ye mean?

JAMES Fit sort div ye think?

CHRISTIAN A mangle. A wringer. So as I can dry yer claithes fer ye aifter I've washit them fer ye . . .

JAMES It's nae fit I hud in mind but if it's fit ye'd prefer . . .

CHRISTIAN *(James hugs her)* Haud on there I'm nae mairrit tae ye yet.

JAMES Weel ye should be. Ma feet are wearin a ditch frae Pitullie tae here, traipsin in ower tae see ye. They're thinkin o employin me in the new drainin schemes.

CHRISTIAN Oh git up ye daft loon.

JAMES Marry me afore I go.

CHRISTIAN No.

JAMES I maybe nae come back.

CHRISTIAN Good. I winna be a widow.

JAMES I'm nae jokin — whalin's dangerous!

CHRISTIAN I niver wantit tae marry a fisherman.

JAMES Now ye tell me.

CHRISTIAN I've tellt ye afore.

JAMES But we're contracted in handfast arready! Div ye want tae back oot?

CHRISTIAN No.

JAMES Will ye marry me?

CHRISTIAN No.

JAMES Ye fair ken foo til keep a man on the hook quine. Fit wye nae? Fit div ye want aff o me?

CHRISTIAN It varies. I'm comin roon til it. I need time. Ma mither likes ye though.

JAMES Maybe she wid marry me? A better judge o character than her daughter onywye . . . *(Pause)* Foo is she now?

CHRISTIAN A bit better. It's still in her chest — the doctor doesna really ken fit it is — though fitiver it micht be that's the cause, her sheelin an baitin tae ma faither canna just help.

JAMES Is he still at Fitty then?

CHRISTIAN Aye. So he can visit her in the Infirmary.

JAMES Listen tae that rain.

CHRISTIAN An that wind!

JAMES Jist terrible! Wid ye put a man oot intae weather like that?

CHRISTIAN Oh I micht — I'm a hard woman ye ken.

JAMES Oh I ken that.

CHRISTIAN But I've a generous side tae my nature . . .

JAMES There's news.

CHRISTIAN So you could sleep in the closet!

James gets up to put on cap.

CHRISTIAN Jist haud on there laddie . . . terrible hasty ye are . . . I'm thinkin. Div ye see at? Annie Trail. She'll hae seen ye arrive. Gossip tae her is like sun an water tae a floor. Pit a licht in the back window.

Christian and James retire to the butt end. Last line delivered offstage.

CHRISTIAN *(Offstage)* Noo she can hae the teem errand o sittin up a' nicht seein naethin.

Blackout.

scene nine

1860. July. 72 Broadsea.

Christian is now married to James Sim. She has two sons, Peter and James. Lights up to Christian holding both babies. James could be present. She smiles wryly at the audience. Lights down.

INTERVAL

Act Two

scene one

1865. 72 Broadsea.

Helen has returned home from hospital, but she is still very ill. Christian has just discovered her mother mending nets.

CHRISTIAN — Mither! Yer tae bide inside! Fits the use o comin oot o hospital tae mend nets a' day?

HELEN — They huv tae be din . . .

CHRISTIAN — I'll dee them! *(Looks suddenly faint)*

HELEN — Fit ist?

CHRISTIAN — I'm in a certain wye again.

HELEN — Hush quine. *(Looks offstage)* Yer faither disna ken aboot sic things.

CHRISTIAN — Siven o his ain and he disna ken . . .? *(Laughs and laughs)*

James enters. Helen is coughing badly as she goes into the butt end.

JAMES — Good afternoon ma-am . . . *(He picks up socks on knitting needles)*

HELEN — I wis . . . giese that ower — it's bad luck.

CHRISTIAN — Di'a spik o thae auld fraits mither.

JAMES — She's richt Kisten — it's bad luck tae hae them unfinisht fer the New Year.

CHRISTIAN — *(Snaps)* I'll finish them. Noo come on mither — yer tae rest.

Blackout.

scene two

1873. 72 Broadsea.

Eight years later. Christian has eight children. George aged 8,

Bella, aged 5, playing noisily. James is sitting at the table mending a piece of fishing equipment. Christian is tired.

JAMES — Is it nae Bella's bedtime?

CHRISTIAN — Aye.

JAMES — C'mon. Awa til yer bed.

BELLA — George has tae ging til bed too . . .

Bella goes off to bed.

JAMES — *(To Christian)* I'm awa oot.

Christian doesn't answer. James leaves.

CHRISTIAN — Sic a quiet kin o bairn ye are. I should hae caad ye Zachariah, for yer almost mute! Aye sittin, jist rockin an sittin . . . Lookin at abody an athin. *(George falls asleep)* Fan you were born ye lookit straight at me! How ye coughed! Ye huv tae breathe air now. I mind sayin it. The nursey thocht I wis feel. The air wis burnin yer lungs. Yer lungs were soft an swoll still fer water. Like a fish. Droonin in the air. Oor dry climate. *(Pause)* First time I put ye doon at the waters edge ye crawlit straight in. I catched ye tumblin in ower the first wave. Chucklin and croonin. *(Laughs)* They say a' babies do it. It's nae oot o the ordinary.

JAMES — George! George! Yer fer it this time! *(Offstage, James entering)* Far is he? Christian! Yer loon's a waste o time. He canna dae naethin richt. He hasna cleaned the hen hoose oot and he hasna gaen the hens their millock. *(To James)* Wait in by! *(To Christian)* An fars Peter? The lad's nae yet thirteen. He should be in by noo an in bed. Christian Watt yer at easy taen a len o. Fan Peter wis a bairn I thocht ye jist didna ken the richt wye tae dee things — but ye'd think a body wid hae learnt a bit aboot discipline an order by the time she'd eight o the geets!

James goes into butt end, hits George offstage. Christian picks up his boots and begins polishing them. James returns

CHRISTIAN — And div ye think yon is the wye tae teach him?

JAMES — Fit do ye ken aboot discipline?

CHRISTIAN — Fit do ye ken aboot children?

JAMES — Dinna shout in my hoose!

CHRISTIAN — Dinna shout! Your hoose? Your hoose! Fas money was it onywye? *(Pause)* Did ye see his face?

JAMES — I've bin in the Navy seven year — I've seen public floggings.

CHRISTIAN — An maun ye follow athin ye've seen?

JAMES	I ken the importance o discipline.
CHRISTIAN	Ye pompous geet!
JAMES	That loon will grow up tae thank me fer fit I've din fer him! Left tae you he'd be a sissy mammy's loon!
CHRISTIAN	An left tae you he'd grow up wi a grudge only his ain faither could equal. An only beatin his ain son will lift.
JAMES	It's the wye I wis brocht up.
CHRISTIAN	Aye. An look at you. An yer ain mither — cal as last nicht's supper an aboot as welcoming. The number o times I wantit tae pack my bags and walk oot o this hoose *(Throws down the boot)* far I belong. An I'll tell ye anither thing. I'm nae huvin George ging tae sea.
JAMES	Ye'll nae huv George ging tae sea? Fa div ye think you are? We're fisher folk, we're frae sea-farin stock — fit else is George tae dee? The lad's no scholar — he'll hardly mak a clerk or a minister.
CHRISTIAN	I'll nae huv it. He maun, he maun be a builder or summat. Your mither micht hae thocht it very grand fer her son tae be a skipper wi his ain boat — but I'm nae haein it fer my son!
JAMES	*(Picking up boot)* At least she can polish a boot.
CHRISTIAN	I'm nae finisht em yet. *(Grabs them back)* But I can tell ye ane thing frae now James Sim — at's the last pair o Sunday boots I'm cleaning fer you. I'll brush them through the week, but you are to do a' the Sunday sheen on Saturday nicht.
JAMES	Aricht.
CHRISTIAN	Fit?
JAMES	I said aricht. I said yes. I said aricht I'll dee the Sunday sheen. *(Pause)* O Kisten I dinna want to quarrel wi you. But yer askin me to change the hale wye I've bin brocht up. *(Comes up, checks there are no children about, kisses her forehead)* Though atween oorselves — yer maybe even richt.
CHRISTIAN	Maybe? *(Hugs him)* There's no maybe aboot it Jamey . . . *(Laughs)* Och you're a good man, I know that richt enough. It's jist . . . *(More hugging)* Peter'll be in ony minute . . . Fit aboot a cup o tea?
JAMES	Fit aboot something mair substantial?
CHRISTIAN	*(Laughing, goes to make the tea)* Och there's nae milk! Wait till I get haud of fa iver it is nicks oor milk — and it's nae jist us — Annie was complainin o the same yesterday.
JAMES	Div ye nae ken? Did I nae tell you fit Peter did? Mair and mair his mither's son every day . . .

CHRISTIAN	*(Apprehensively)* Fit as he done noo?
JAMES	Got up fer the milkman in the mornin.
CHRISTIAN	Fit self-discipline!
JAMES	. . . taks in the milk — an puts oot a jug o whitewash!
CHRISTIAN	Whitewash! In my good milk jug! Wait til I get my hauns on him!
JAMES	Haud on there Kisten! And along comes the ither loon you want tae get yer hauns on — and drinks the whitewash!
CHRISTIAN	Oh! And did they find oot fa it wis?
JAMES	Aye — the loons boots wis covert!
CHRISTIAN	*(Pause)* Div ye mind fan we wis stayin at 13 Pitullie, jist afore ye wis aff tae the whalin . . .
	Loud knocking. Mary enters distressed.
MARY	James. Christian. I'm sorry tae disturb ye so late. Yer mither's nae weel. Yer faither's askin fer ye tae come richt awa.
CHRISTIAN	Fiv div ye mean?
MARY	It's her bronchitis. The doctor says her lungs is jist soaked solid.
JAMES	It'll be a richt.
CHRISTIAN	Fars ma shawl?
JAMES	It'll be a richt.
	Christian exits after Mary. Lights down.

scene three

1873. 72 Broadsea.

Helen has died. Christian and George are dressed in mourning. George is about to go to the funeral.

GEORGE	Are ye nae comin?
CHRISTIAN	Women arena allowt at the graveside George.
GEORGE	*(Hesitant)* I saw ye kiss gran.
CHRISTIAN	It's the wye tae forget. Ye huv tae say goodbye.
	Blackout.

scene four

1877. Outside the laundryhouse at Philorth.

Four years later. Christian has visibly aged, and taken on the dress and role of her mother. Mary and Annie are working at the same or similar jobs.

MARY — Weel Annie. Pass us at shirt. Has Kisten bin up?

ANNIE — I've nae seen her — is she due the day?

MARY — She should be. It'll be her first time up since since she lost her son. And she's niver got ower her mither's death. It's as weel she has George. She fair dotes on him.

ANNIE — I wonder far she is? She's maybe stoppit tae spik tae Tommy. He's on the road tae Philorth. She winna much like it if she does!

MARY — Foo div ye mean?

ANNIE — Weel — a' the changes there. Ye'd think it wis her ain place the wye she goes on!

MARY — It could hae bin.

ANNIE — Aye if she'd mairrit richt!

MARY — Yon Murray Fraser.

ANNIE — Or Simon. He's mairrit himsel noo — that'll gae her something tae think aboot.

MARY — Oh but she niver wantit him. He took his time though — it maun be nineteen year since she mairrit James.

ANNIE — I niver did unnerstaun fit went wrang atween Murray and Christian. It wid hae been sic an advantage til her tae hae got him on the ither side o a marriage contract! He'd hae bin a catch worth fishin fer! But it wis hersel as got landed — by a fisherman! *(Laughs)* She wis aye thrawn. Ideas abune her station.

MARY — James has his work cut oot fer him noo. Night after night on that boat an naethin tae show fer it.

ANNIE — Hardly his fault Mary. Its they thievin curers. Staunin on the pier fan the boats come in sayin they're oot o barrels an salt. Look at the sidins at Philorth Hall an ye'll see naethin but barrels. An I've heard o anither o their tricks.

MARY — Fits iss?

ANNIE — The casters — they put a ring on their finger as has wee spikes in it, an fan they check through a sample it rips oot the belly o the fish. Oh they say. This lot's surely spoilt man. Ye maun hae snagged wire in yer nettin. And off they tak em fer naught! My ain man was caught oot! But they winna try it wi him again noo he's assistant tae the harbour-master. But if ye ask me Kisten should be thankful! Her man's a skipper wi his ain boat. An she's got George. Fit wye will she nae hae him oot tae the boats? I hear it fair gits up her man's nose.

MARY — Div ye blame her? Aifter she's seen her ain brithers an then her son droont? It's a mercy she wis aye so thrawn aboot George.

ANNIE — Weel. He's nae muckle use sittin at hame daein nathin. An sic a silent kin o chiel. Ye'd think a loon o Christian's wid hae mair tae say fer himsel.

MARY — Oh he spiks fine Annie. Its your big moo at'll put him aff! She was talkin o takin the hale lot o them oot tae America.

ANNIE — America! Fitever fer?

MARY — She wis tryin tae persuade her man. Things bein so bad here. He'll hae nane o it.

ANNIE — I should think not! America indeed! It was a richt fan she wis a young lass, aye skitterin aboot the place, she could ging til America then! But she's got her responsibilites noo.

MARY — She can hardly be unaware o that Annie. Puir quine. She's the livin image o her mither. Though I dinna like tae see her cairtin yon creel a' aboot the country. It's nae so easy noo tae mak a livin at wye. An she's nae really built fer it.

ANNIE — Aye. She's aye bin a bitty . . . sma'. But her goodmither should help her oot.

MARY — Her goodmither! Did ye nae ken? Jamesy's mither niver forgave him for marrying her.

ANNIE — Oh I niver knew!

MARY — It's amazin fit gets past ye Annie . . . there wis a stramash in front o the minister — there they were, the mannie in his black coat an Kisten's goodmither dressed up tae the nines, sittin with the fancy cakes an talkin aboot eternity an the new Kirk roof — though maybe nae in that order — an in comes oor Kisten. Thocht it was a good moment tae find oot fit wye her goodmither was aye sae cal an difficult.

ANNIE — In front o the Minister!

MARY — Weel but it disna stop Kisten — an it didna stop Jinna either! 'It is the history of consumption and madness in the family' she said. Oh I can just see her pursin her tight wee moo. . .

Christian enters. She is carrying a creel. The similarity to her mother is clear.

CHRISTIAN Hullo there. Mary. Annie. Weel weel. *(Looking around)* A while since I wis last here. Athin jist the same. Foo are ye baith? *(Removes creel with Annie's help)*

ANNIE Fine, just haudin on . . .

CHRISTIAN I see ye've had new curtains — awfu bonny they are . . .

ANNIE Weel thankye Christian . . . Aye. It is a nice pattren, though I say it mysel . . .

MARY Annie's man got promoted. He's assistant tae the harbour-maister noo.

CHRISTIAN Ye'll be richt pleased. But he deserved it. The lad's a real worker.

ANNIE Aye he is that. All I need is a puckle o bairns noo an I'll hae athin.

MARY Ye could tak a lesson off o Kisten there Annie.

CHRISTIAN Oh I'll easy tell ye how its din!

MARY I'd niver hae thocht I'd see you rival me fer numbers quine! Ten o the beggars in foo mony years?

CHRISTIAN Twelve. I dinna suppose I'd hae thocht it either. But fit can ye dee? Ye fa in love an . . .

MARY There ye are. Mither o ten.

ANNIE Weel — it disna seem tae huv happened tae me.

CHRISTIAN Oh but ye'll hae ain o them surely?

ANNIE Eh?

MARY *(Laughing)* Fits yer ain man if he's nae yer first bairn? The times I've thocht o puttin my ain back intae nappies and sendin him hame til the mither at bore him!

CHRISTIAN *(Laughing)* Aye . . .

MARY They've nae choice but to be bairns — ye'll surely huv noticed foo anxious they are tae git back at the briest!

CHRISTIAN Nae tae mention the place they first cam frae!

Mary and Christian both double up laughing.

ANNIE Humph! Here — is at nae Tommy?

MARY It is! Tommy, Tommy Strachan! Come here fer a bit o a blether.

Tommy Strachan comes in carrying wallpaper.

MARY Weel weel. An far are ye off til wi a' yon stuff then loon?

TOMMY — Div ye want tae see her ladyship's latest? *(Opens paper)* Fit div ye think o this?

MARY — For Philorth?

TOMMY — Aye.

MARY — Wallpaper?

TOMMY — Aye.

MARY — Thirteen mandarins a square foot?

TOMMY — Aye. Chinoiserie.

ANNIE — Fit? Summat in his ee?

TOMMY — Maun be. An div ye want tae ken far its gaen?

MARY — Far?

TOMMY — Ower the rose-trellis effect I put up twa week past.

ANNIE — Fit wye is she wantin tae cover the roses with the mannies?

TOMMY — Fit wye is she wantin tae cover the past-o-ral wi the roses? Beyond my ken.

MARY — Past-o-ral?

TOMMY — Ye ken. Sheep. Shame they've gone, eh? They wid hae gone nice with thae burdies she's hain painted in the corners noo. Fit wis it there afore?

CHRISTIAN — Floors I mind it wis. Baskets o floors.

TOMMY — Is at nae nice noo ladies? She's brought the hale o Buchan countryside intae her hoose — floors, sheep, burdies . . .

ANNIE — Mandarins.

TOMMY — Only we change even faster than the seasons. Nae wunner she doesna tak a step ootside. Och but it maks me richt scunnered ye ken. Div ye ken fit she cam oot wi last week? She wis decidin on the new decor. 'The orientals have a sense of grace that is lacking in Strichen, do you not agree Tommy?'

MARY — Fit div ye say?

TOMMY — 'Aye, yer ladyship. Lackin'.

MARY — Aye but she'll be payin ye.

TOMMY — Damn richt she's payin me. But och — she's sellin aff athin — its nae jist her wapaper she changes every eight minutes — its her hooses! An it costs tae live in Cavendish Square ye ken.

ANNIE — Oh I ken it weel!

CHRISTIAN Fits she sellin then?

TOMMY Weel ye micht mind this yersel Kisten — she's jist put athin oot, we've marble washstands and parlour suites noo — ye canna move fer thae muckle pink parlour suites.

ANNIE An will they ging wi the Chinese wallpaper?

MARY She'd surely hae better stuck wi the roses —

TOMMY Div ye mind on at varnished black deece as stood at the entrance?

CHRISTIAN Wi the four carved panels?

TOMMY Aye, ats it. An yon chair wi the carvin o the covenanters signing their names in blood on a tombstone in Greyfriars?

CHRISTIAN Aye.

TOMMY Weel. They were sellt last week.

CHRISTIAN Fit? If I get my hauns on her . . . Fits big Zander up tae — I thocht yon wifie had mair sense — yon's vandalism — these things maun be left for abody — nae jist her — its as much my heritage — aye, tae admire — as it is hers.

ANNIE But its hers tae sell.

CHRISTIAN Weel it shoudna be.

TOMMY Tell that tae the lawyers!

MARY Lawyers! Phh! But spikkin o lawyers Tommy — huv ye heard aboot Annie Catheid? She wis tae be thrown oot o her hoose fer nae payin the rent . . .

ANNIE Fa can pay the rent noo? Annie's been there 50 years . . . my god — they'll be stairtin the clearances here if we dinna watch oot . . .

TOMMY Oh I ken a' aboot it Mary — Porterfield went roon.

MARY Is at him wi the crippled leg?

TOMMY It is — an he nearly got inither — he went tae peen Annie, and he says tae her, very polite 'that's a fine fire you have there Miss Cathead'. 'Yes' says she, 'Yes, Mr Doghead, and they are in this hoose that will sleep in it.' He thocht he was goin til be thrown in tae the fire . . . but na . . .

MARY Shame!

TOMMY She contented hersel wi barrin the door and gaein him a hidin wi the spiletree!

CHRISTIAN Fit a wifie!

MARY Aye *(Looks up)* Is at rain? Weel Tommy — ye'd best get on — or yer Chinese gentlemen'll shrink.

TOMMY They're nae just accustomed yet tae the climate.

CHRISTIAN Och — an I've got washin oot on the green . . .

MARY Washin!

They all run off. Blackout.

scene five

1877. The same day. Outside 72 Broadsea.

Christian has gathered her washing, Mary approaches.

CHRISTIAN Did ye get yer washing?

MARY Aye. Just in time. Ats the rain on. Blawin up.

CHRISTIAN Aye. Ye'd best git hame afore it cams doon on ye. Or wid ye like tae stop in fer a cup o tea?

MARY Na . . . the bairns'll be waitin *(Looks at sea)* there they are — there's yer ain boat . . .

CHRISTIAN Oh aye — div they no look grand, a' comin in thegither?

MARY An there's the Speedwell, and the Ocean Queen . . . they're awfu close thegither . . .

CHRISTIAN They are. I hope naething's wrang.

MARY Na. It'll be fer the rain comin . . . there they ging, roon Kinnaird — yer man'll be hame within the hoor.

CHRISTIAN I maun get some bried on. I'll see ye Mary. *(Shivers, gives Mary a hug)*

MARY There, there *(Surprised)* Fits wrang?

CHRISTIAN Naethin. *(Looks up)* Ye'd best run.

Mary leaves. Christian goes inside and removes her shawl. Moves anxiously about the house, takes a chair away from the table and sits in the remaining one. The Minister enters, says nothing. Christian looks at him, and looks away.

CHRISTIAN Fa is it?

MINISTER It is the husband.

The Minister leaves. Blackout.

scene six

1877, same day. 72 Broadsea.

Christian is sitting exactly as we left her. Bella, aged 10, and George, aged 12, enter.

BELLA George! Will ye be there a' day? Mither I didna think ye'd be back aready — I've tae ging back doon tae Annies tae git Charlotte — fit a pest that bairn has bin! She followed the dog a' the wye intae the burn. I'd tae ging til Annie's fer a new set o claithes — an ye ken fit Annie's like — 'An far wis you fan ye should hae bin lookin aifter the bairn?' And there wis naethin fer it but tae leave puir Charlotte doon there tae dry oot wi Annie fussin aboot her like an aul hen . . .

GEORGE *(Whispers, beginning to rock)* Mither?

Bella starts to bustle about the house in and out of the butt end. Her voice remains persistent.

BELLA Weel mither. Div ye ken fa I saw on the Broch road? Tommy Strachan. Loadin furniture oot o the Big Hoose intae a cairty. Its awa tae be sellt Annie wis tellin me. There wis some richt bonnie pieces. But ye should see the stuff ats goin in. Oh its jist beautiful. A' pink an cream — its like seashells!

George watches Christian. Bella discovers a mark on her pinny.

BELLA Mam! Loot fit George as din! Ma clean pinny! Mam! Ye're tae tell George off! Mam! *(Pause)*

Bella tails off as she senses something is wrong. George and Bella are still.

CHRISTIAN I had a red shawl. *(Sits)* Fit div ye think bairns. Should we ging til America?

GEORGE Me too. Can I come too?

CHRISTIAN You too George. I widna leave you behind. We'd be in wi my auld employers. Charlotte wid hae tae be wi the nannie. You wid ging tae school Bella.

BELLA An fit wid you do? Wid there be enough folk wantin fish? Annie says they're an outlandish kind o folk in New York.

CHRISTIAN Na na quinie. It's nae a bit like here. Ye canna imagine it til ye've seen it. Nae like here. Surroonded by water here. Water comin at ye from awye. Oot o the sky. Oot o the sea. A wye the soon o water, the sicht o water. *(Pause)* Fars ma shawl? *(Shivers)* Fars the shawl I bocht in America? I'll show youse ma shawl ats frae America — fars ma shawl?

BELLA Mither. Ye cut it up fer frocks, it's a' in bits.

CHRISTIAN — I'm cald.

George fetches the shawl that Christian has recently removed.

CHRISTIAN — George, Bella. Maybe we'll ging til America. Maybe we winna. Listen bairns. The Minister jist came by. Yer faither's at rest. He wis drooned at Kinnaird Point. I'm sorry.

Lights hold on the scene. Blackout.

scene seven

1877, late December. 72 Broadsea and the Broch Sands.

Tommy and Mary enter talking. Christian has signed herself into Cornhill. They have come to 72 Broadsea to give her a lift to the station.

TOMMY — An Lady Anderson — now there's a body fas fair goin up in the world.

MARY — Wife o a fishcurer. Nae wunner. It's Witchhill Hoose they bide at noo. She's a new housekeeper.

TOMMY — Fit a work she maun hae — the lobbies the length o a street! Weel, Lady Anderson was waitin at Pitullie for the horse bus tae stairt, an sitting opposite was a Pitullie mannie caad Aikey. Ph-ph-f gings the horse. 'My—that's a gey cracker' says Aikey. Her ladyship gits terrible ruffled up at this — 'I did not come here to be insulted' she says very indignant and proper. 'Neither did I' says Aikey, 'An if it dae it again we will baith gang oot ower!'

Tommy and Mary arrive at 72. Christian's bag and coat are on the table. Christian is not in the house.

TOMMY — Weel. Fars Kisten then?

MARY — She'll be doon at the sands maybe . . .

Mary picks up Christian's coat and indicates that Tommy should pick up the bag. During Tommy's next speech they leave 72 Broadsea and make their way down to the Broch Sands.

TOMMY — Far is she then? Changed her mind has she? Canna say I blame her — she should get her mind off it — she should be thinkin o her bairns — or anither man — she's still a bonny enough type o woman. Signin hersel intae Cornhill Asylum 'fer a rest'! Did ye iver hear the like! A rest! The ane thing Christian Watt needs noo is three weeks hard work — tak her mind aff athin!

They see Christian on the Broch Sands.

CHRISTIAN James. James.

TOMMY Fits at?

MARY Hush. *(Pause)* Kisten?

CHRISTIAN The sea will not give up its dead.

MARY Kisten?

CHRISTIAN It is hard to be provider. Even if I could see you James. Are you with Joseph? Peter? Drooned in the Baltic. Drooned in the North Sea. The sea will not give up its dead. *(Matter of fact)* Charlotte is quite well. Isabella is looking after her. She is not quite a year yet but past the worst stage. *(Sings a phrase of "Wee Wifie")* Eppie Buchan gied me a bag o tatties. She said I'd grown ower thin. I can see my mother yet, restin her creel on the dyke tae get her breath.

MARY Kisten is at you? Fit are ye daein?

CHRISTIAN *(With dignity)* I am searching the sea for edibles . . . and the body of my husband.

MARY Kisten, quinie, yer ower tired.

CHRISTIAN The minister said — were ye nae at the service? Fit a bonny service — the minister said "And the sea shall give up its dead". I maun see him!

MARY The Broch Sands are no place for ye today Kisten. C'mon. Tommy's here tae gie ye a lift tae the station.

CHRISTIAN I maun see him. I maun say goodbye til him. It's nae richt, he winna rest easy till we've said goodbye.

MARY Oh quinie. Ye maun leave that entirely in the hands of the Almighty. If yer man's body turns up it is meant to be and if not, it is not meant to be. Ye need a rest Kisten.

CHRISTIAN Foo can I rest? Foo can I rest fan my man's body is twistin an turnin — the water slidin across him — oh! I can feel it on my ain skin!

MARY Christian!

CHRISTIAN Di'a worry Mary. I ken I'm seemin strange tae ye. It's a' arranged. The bairns are thegither. Bella's auld enough noo. I'm goin tae Cornhill . . . Fit else could I dee? I maun git awa. I am going to Cornhill Asylum by consultation with my doctor, fer a rest.

She is helped on with her coat by Mary. Mary and Tommy lead her off. Blackout.

scene eight

1878. Spring. Broadsea.

Mary is waiting to greet Christian on her return from Cornhill. Annie is there by chance. Neither see George. This scene echoes George's dream in Act One, Scene One. Annie is knitting.

ANNIE — She's nae fit tae be a mither if ye ask me! I'm sorry Mary but I di'a want tae get involved. She should hae stayed in the Asylum far she belongs! Comin back roon here mixin wi regular folk aifter five months in yon place. It's nae that I'm a hard woman Mary, ye'll ken this yersel — but foo can a body feel safe wi a madwoman comin in aboot the place? An even if we grownups can manage wi her, fit kin o effect is it goin tae hae on the bairns?

MARY — Fas bairns this? Fit aboot her ain bairns?

ANNIE — She should niver huv hud bairns! George aye moonin aboot fer his mither — if ye ask me that loon's nae richt either! An his wee sister ats bin a mither tae them a' since she was eight years auld — puir wee souls — I just feel richt sorry fer em.

MARY — Its mair than yer sympathy ats needed Annie — they'd appreciate . . .

ANNIE — It's nane o my business! If Christian Watt gings and has hersel ten mair o the geets than she can iver hope tae provide fer and ends up in the Asylum far she belongs its naethin tae dee wi me! I dinna ask ithers tae pick up the pieces aifter me! You ging on then. Wear yersel oot trying tae mend fit canna be mended! Much good may it dee ye! I dinna want tae get involved wi . . .

MARY — Haud yer tongue! *(When she sees George)* George. Fit like? Weel laddie, are ye nae excited? Ye'll hae yer mither back ony minute noo. Dis it seem like a long time?

GEORGE — *(Nods)*

MARY — Fars Bella? I thocht she'd be here an a'?

GEORGE — She's bidin at hame.

MARY — *(Looking at George, who is terrified)* Dinna be feart. Ye've been listening tae ower mony stories. Yer mither'll be jist fine.

Christian comes in with Tommy.

CHRISTIAN — George!

MARY — Good tae see ye back Kisten. Ye're lookin richt weel.

CHRISTIAN Good tae be back. *(To George)* Foos athin at hame?

GEORGE *(Nods)* Fine.

CHRISTIAN Bella copin wi a' you daft bairns? Huv ye bin good? Cause if ye huvna there'll be trouble! Run on an tell the quine I'll be hame myself in twa minutes.

George, relieved, runs off.

TOMMY Well then Mrs Sim, Christian. I maun get on ma wye. I'm in a bit o a hurry the day.

CHRISTIAN Tommy Strachan! You in a hurry? The bar disna open for anither thirty minutes!

TOMMY Aye. *(Laughs)* Fine tae see ye back Christian. Annie. Mary. I'll be seein ye quines.

MARY Niver heed him Kisten. There's some ignorant folk roon aboot here.

CHRISTIAN I hope the bairns hinna bin buckled ower much wi this.

ANNIE The bairns huv been fine. I'm aye seein Bella wi the washin, or the shoppin.

MARY There's mair tae them than ye wid think. They've bin a credit tae ye Kisten. At Bella's kept the hoose like she wis mairrit arready!

CHRISTIAN She's a born mither that ane. Though its nae exactly fit I'd wantit fer her. She shouda bin at school. The quine's got brains. School! I mind the days it wis University I wis aifter. Ah weel. Foos Charlotte?

MARY Oh she's fine. A real happy kin o bairn. She's grown. Ye'll see the change in her. Won't she Annie?

ANNIE Aye, surely.

CHRISTIAN Foo are ye baith? You're lookin well Annie.

MARY Annie's workin up at the new splittin factory noo.

CHRISTIAN Splittin factory?

ANNIE Sandy Meeks. Its bin goin since June.

MARY An the pay's richt good. Near abody's got work noo. Ye'll maybe try it yersel Kisten.

CHRISTIAN Weel. *(Surprised)* We'll huv tae see. But I wis plannin on gittin back tae ma fishroon jist as soon as possible.

ANNIE *(Pause)* Aye. Weel Christian. I huv tae git on. But I'll be in by. See ye Mary. *(Annie leaves)*

CHRISTIAN Annie's surely awfy busy these days. I think there'll be a few folk awfy busy noo.

MARY — *(Embarrassed)* Working in this new factory. *(Pause)* Ye must hae missed the bairns.

CHRISTIAN — *(Nods)* But I couldna hae them comin in tae yon place. It's fine in the parks and gardens — an it has given me a rest. But — at mealtimes — its nae sicht fer bairns.

MARY — But yer back noo. Athin's ahint ye.

CHRISTIAN — I'm richt glad tae be back. The folk there couldna hae been kinder. But I canna wait tae git in tae a normal life again. At reminds me — has there bin a letter fer me? Frae America?

MARY — I've heard nae mention o a letter. But the fishin's pickin up again noo — an fit wi the new splittin factory near abody's got work. Ye'll be off tae the country will ye?

CHRISTIAN — Aye. Soon as I can. I was aye mindin on the smell o whin an broom. Oh Mary. Ye've aye bin good tae me. You're sure the bairns is aricht? I wis so feart fer them. But Annie will hae bin lookin past?

MARY — Och aye. Abody's glad if they can be o use.

CHRISTIAN — I'll be on my way then Mary.

MARY — Right ye are quine. I'll see ye the morn. *(Mary leaves)*

Christian, to George, who has returned.

CHRISTIAN — George. Come tae gie yer auld mither a haun up the road huv ye? *(Pause)* Are ye feart?

GEORGE — No.

CHRISTIAN — Jist tellin lees.

GEORGE — I'm nae.

CHRISTIAN — I doot folk'll hae bin tellin ye stories.

GEORGE — No. *(Pause)* Aye.

CHRISTIAN — Well noo. Div I seem mad tae you?

GEORGE — *(Quickly)* No . . .

CHRISTIAN — It's yer mither yer lookin at, mind.

GEORGE — I ken.

CHRISTIAN — I saw Simon Lovat's bairn at Aberdeen station. An awfu bonny loon. I tellt him I kent his faither. He wis a bitty surprised. But ower mannerly a chiel tae let on. You could hae bin the son o a laird George. Master o Lovat ye'd be noo. Simon Lovat! Fit a cairry on yon was! 'Look at the stars Simon — a' the millions on billions o tons o water. A' held thegither by naethin mair than a fire in the centre.'Simon wisna interestit in science! *(Pause)* Are ye bein tormentit by the ither bairns?

GEORGE — I jist tell them far tae gang.

CHRISTIAN — *(Pause)* It's an illness ye ken. Ye mind on yer great granny Gunner? We often thocht her a bitty mad, ken. Oot o a' her grandchildren there's five o us liable tae mental illness. A very small per cent. A very small per cent. An there's aye a reason fer it. Fan folk treat me like I'm a mental defective they're jist showin their ain ignorance. You go on up the road noo. Ye canna wait for an auld body like masel. Tell Bella I'm comin. *(George sets off)* An George! Dinna believe a' ye hear aboot madders and lunatics at the asylum.

Goerge shakes his head and smiles. Christian watches him go. Blackout.

scene nine

1878, Winter. 72 Broadsea and the Broch Sands.

It is dusk. Mary and Annie are outside 72 Broadsea. Christian is inside, filling a Tilley Lamp with paraffin to light her way to the beach. She is going to gather whelks as the tide turns. Mary and Annie do not see Christian, nor does she see them.

MARY — Ye ken fit I think Annie.

ANNIE — But foo could he huv employed her? Ye canna huv a madwoman workin wi knives.

MARY — She's nae a 'madwoman'. It's Christian Watt yer spikkin aboot.

ANNIE — She's new oot o the Asylum!

MARY — I'm surprised at yon housekeeper. At wis Christian's auld fish roon.

ANNIE — Weel I'm nae. Times is changing onywye. There's nae room fer the fishwives on their roon noo.

MARY — At wis hardly the reason Kisten was turned awa! The quine heard ivery word o it. 'Under no circumstances give her tea or anything that might encourage her. We can't have a madwoman coming around the place.'

ANNIE — An ye canna! Ye canna hae a madwoman wakkin aboot awye. It's nae richt.

During the above scene, Christian has left 72 Broadsea and gone to the Broch Sands carrying a pail. She starts to look for whelks. Mary approaches.

CHRISTIAN Weel weel. Weel weel. At least I've the beach. The hale o it. There's nae a body as'll come near me half a mile either side. I've the pick o the whelks. Cald though.

MARY Kisten. *(She is holding out a letter)*

CHRISTIAN Frae America! *(Opens it. Very dignified)* Thank you Mary. *(Waits for Mary to leave, which Mary does, unable to help)* Frae the emigration authorities. *(Reads it, hands frozen. Puts it down)* Weel weel. Weel weel. *(Gets up, takes pail)* An the hens not laying. *(Walks home)* How could they? Nae food, puir things. Nae food fer the hens, nae food fer the bairns. *(Hums "Wee Wifie" crouches down)* Come on then — yon's ma favourite. C'mon. Cluck, cluck. Come on then. *(Mood changes suddenly. She gets up)* It's a' part o my fiery trials. Fan I wis on the Broch Sands yon time — did I iver tell ye? I was baptised with the holy ghost and fire. God tellt me — 'Christian' He said, 'As the silversmith skims and purifies I will lead you through the fining pot, the furnace of affliction, until in you I will see my own Image.' It's in Isaiah. I kent God hud some purpose fer my life. 'Your Faith,' he said, 'Will be as a tiny spark which will one day ignite the whole world!' *(Standing, looks down)* Cluck Cluck — far are ye? *(Catches it, cradles it. Holds it to her face)* Are ye hungry? Are ye cald? *(Mimicks child)* 'O mither! O mither I'm cald.' I ken fit we'll dee. *(Picks up a bottle of paraffin, splashes it over the furniture)* Dinna shriek. *(Christian shrieks)* Fars the box? *(Finds matches)* We must be doers and not hearers only, it is only in doing that we are blest and not defeated when the storms of life arise. *(Shrieks)* . . . the consulate regrets we must reject your application . . . unfit for emigration . . . because *(Looks wildly around. Parody of a madwoman)* huv ye seen Kisten? She's oot o the Asylum. She's mad. A madwoman shouldna be workin wi knives. We canna hae a madwoman comin roon here. *(Shrieks)*

George runs in, alarmed at the shrieks.

GEORGE Mither. *(Sees matches, takes them away from her)*

CHRISTIAN *(Calm, smiling)* Will you come tae me George? Will you come tae yer mither?

Blackout.

scene ten

1879. 72 Broadsea.

Christian has been declared insane. The Crown Commissioner has arrived to take possession of 72 Broadsea and custody of the children. Sound of children crying from the butt end.

COMM. I declare 72 the property of the Croon. Yer tae bide wi me quine. Bella ist?

BELLA Aye.

COMM. An fas this? *(Looking at George)*

BELLA Ma brither.

COMM. Oh? Yer nae accoontit fer on this bitty paper laddie. Foo auld are ye?

GEORGE Fourteen.

COMM. Oh weel then. Yer ower auld laddie! Oot o oor jurisdiction noo. Ye maun find yersel a job man. Fars the key? *(George gives him the key)* C'mon then bairnies. Oot we gang.

Blackout.

scene eleven

1880. Cornhill Asylum.

Christian in Cornhill. Standing with back pressed into wall, staring at a strong light. Feeling is of extreme constraint. Mouthing words, no sound. It is important that this sense of confinement should contrast with Act One, Scene Six, when Christian was in New York. Lights up for a few seconds then blackout.

scene twelve

1914. Cornhill Asylum.

Britain has been at war for some months. Christian is seated reading a letter. Relaxed atmosphere. The scene echoes Act One, Scene Six with Helen sitting in 72 Broadsea with Christian's letters.

CHRISTIAN	Philorth Hoose — burnt tae the groon! They say it wis the German cook as did it — sent Lord Saltoun a telegram sayin he'd hae a warm welcome fan he arrived! Puir Lady Saltoun. They're hameless. But I ken fine as there niver wis a German cook! Maybe it wis better Philorth went quickly. It wis too far oot o the Broch tae mak a hotel. It could only hae bin an orphanage. Or a puirhoose.
	Blackout.

scene thirteen

1918. Armistice Day. Cornhill Asylum.

George 53, in his best suit, is waiting for his mother, he is smoking. George is a fisherman. The family have bought back 72 Broadsea. Christian is now aged 85.

CHRISTIAN	I wis at the procession. Were ye at oor Armistice Day procession George? Oor soldiers. A fine clean limbed body o men. Will their sweethearts welcome them back? Wid they recognise them? Fas tae tell ane lump o bandaged man frae anither? I hadna thocht I'd live tae see the day the enemy wid be comin oot o the sky. Did ye hear Keir Hardie?
GEORGE	No.
CHRISTIAN	Ye should look aboot ye George. Foo's Bella?
GEORGE	Ye dinna waste ony time mither. Foo long huv ye kent?
CHRISTIAN	I learnt the day aifter.
GEORGE	We didna want tae upset ye.
CHRISTIAN	Weel. That wis very good of ye George. Huv ye seen this? *(Picks up papers)*
GEORGE	No. I'm new in frae the boats. *(Picks it up)* Oh — American is it? (Puts it down)
CHRISTIAN	Ye're nae interestit are ye George?
GEORGE	Weel I am mither but there's nae awyse the time tae spend on things I canna change. We canna a' be listening tae speeches. I've a livin tae mak.
CHRISTIAN	Wis it a good catch?
GEORGE	Fair.
CHRISTIAN	Good. Wid ye like tea?
GEORGE	No thankyou I winna. Yer wantit hame mither.

CHRISTIAN Tell me aboot Bella.

GEORGE It wis milk fever.

CHRISTIAN McClive'll be relieved! Nae able tae git mairrit tae a quine wi a mither in the Asylum! An the bairn cam oot deid? Wid ye say it wis a blessin George?

GEORGE Haud yer peace!

CHRISTIAN It's nae so easy done. Nae curiosity huv ye George?

GEORGE If the Lord meant her tae live she'd hae lived.

CHRISTIAN A doctor micht hae helped. Medication should nae hae sic a price put on it. I'm tired George.

GEORGE I'll git ye a cushion.

CHRISTIAN No. *(Sings "Dashing White Sergeant")* At's fit they played at oor Armistice Day Dance. The Dashing White Sergeant. Is at nae humorous George?

GEORGE No mither it's nae. I want ye tae come hame.

CHRISTIAN Fer the funeral?

GEORGE Back tae Braidsie. Far you were born an yer mither afore ye an far I was brocht up — far ye were mairrit an far ye had a family. Athins ready far ye. Athins waitin.

CHRISTIAN *(Shakes her head)* I couldna live lookin on the sea noo George. An I've nae friends left in Braidsie.

GEORGE Ye've family.

CHRISTIAN But yer a' grown up noo. Oot at the boats. Traivellin the fishin.

GEORGE But why bide here? Yer as richt as rain — there's naethin the matter wi you — there niver wis. Its bin a lot o work tae git 72 back intae the family. *(Notices Christian, who has started to play with box of matches)*

CHRISTIAN My job is here with the livin. Fits left o them. I've a position here George. Ye'll be on yer wye hame noo.

GEORGE Mither put those doon. *(Christian laughs at George and then puts the box back on the table. George takes the matches and leaves as Christian speaks).*

CHRISTIAN Goodbye George. I've grown tae like my comforts. I wis aye a selfish aul body. Isabella's bairn cam oot deid. Imagine carryin a deid bairn in yer belly. Can ye imagine that George? Ye huv tae push. I wid hae thocht Bella wid hae pushed. Na na na. I couldna live lookin on the sea. The noise o it — I niver heard masel think. I'm a lady o leisure noo. Murray wid hae bin contentit wi ma surroundings. Gin ye tak the locks off the doors. We maun be doers and not hearers only, it is only in doing that we are blest and not defeated when the storms of life arise. *(Pause)* But I happened to be one of the five. A very small per cent.

Blackout.

the end

GLOSSARY

A'	all
Afore	before
Ain	own
Aince	once
Ane	one
Ava	at all
Bairns	children
Bide	stay
Bin	been
Braw	beautiful
Caad	called
Cal	cold
Chave	work
Chiel	boy, lad
Claik	chat
Creel	basket worn on back for carrying fish
Critturs	creatures
Dee	do
Deece	a long settle
Di'a	doesn't
Div	do
Dyke	stone wall
Een	eyes
Fa	who
Factor	estate manager
Fan	when
Far	where
Feart	frightened
Feel	foolish
Fer	for
Fit	what
Fitty	Footdee—a place name
Foo	how
Fraits	superstitions
Gaddin	rushing
Gaen	given
Geets	children
Gey	right
Giese	give
Ging	go
Goodmother	mother-in-law
Govydicks	an expression of surprise
Gowp	dafty
Greetin	crying
Grun	ground
Guid	good
Gype	idiot
Habber	stutter
Hake awye	go everywhere
Hale	whole
Hay	have
Heid	head
Huv	have
Iss	this
Ken	know
Kilting up	tucking up
Loon	young man
Ma	my
Madders	mad people
Mair	more
Maun	must
Mucket	dirty
Muckle	very
Nae	not
Pattrens	patterns
Peen	collect the rent
Piece	sandwich
Puckle	a few
Puir	poor
Quine	lass, girl
Scunnered	disgusted
Sheelin an baitin	baiting lines with shellfish
Sheen	shoes
Sic	such
Skeelie	skilled
Skitterin	capering
Spiletree	fisherman's pole for hanging nets
Stane	stone

Stramash	row, scene
Swack	supple
Tatties	potatoes
Teem	empty
Tee-name	nickname
Thole	endure
Thrawn	obstinate
Tickit	give credit on tic
Tinkies	travelling folk similar to gypsies
Tow	rope for towing vessels
Wakkin	walking
Wid	would
Zander	Alexander 17th Lord Saltoun pronounced 'Saltun')

Phrases

Fits afore ye winna gae bye ye — what's to be will be.

Yer at ease taen a len o — you're easy to take a loan of i.e. easy to take advantage of

Haud yer peace — Calm down. Be quiet.

Gang oot ower — Get out of the way.

Note

Many words in this dialect end in 'ie'. This is an addition to words, for example 'man' becomes 'mannie', 'bit' becomes 'bittie'.

ORIGINAL PRODUCTION

Precarious Living was first staged at the 1984 Edinburgh Festival Fringe by Doric, with the following cast of characters (in alphabetical order to character):

Annie/Bella	Una McNab
Christian Watt	Eliza (Evelyn) Langland
George/Murray	Kenneth McRae
James/Commissioner/Tommy	Stewart Porter
Mary/Helen	Sheila Donald
Minister	Ashley Forbes

oo0oo

Designer	Judy Haag
Director	Neil Scott
Historical Adviser	Margaret Buchan
Lighting Designer	Alistair McArthur
Assistant Lighting	Simon Robertson
Production/Research	Sally Charlton
Production/Publicity	Cassandra McGrogan
Production Assistant	Della Penny
Sound	Rosie Jennings
Folk Singer	Christine Scott
Stage Manager	Ashley Forbes
Asst. Stage Manager	Graham Jones

NOTE TO THE DIRECTOR

In in the interests of historical accuracy and for the designer's information, I have given the correct dates of the major events in Christian's life. (Exception: Act Two, Scene Three). Some scenes, however, are written as continuous, and where this is the case, the time jumps need not be emphasised. The dialogue of the play should be delivered as naturally as possible, to avoid any tendency with the material to melodrama. The themes of freedom and confinement that run throughout the play should be suggested by the staging and positioning of the actors. By repeating the staging (e.g. between Christian in New York, Helen in Broadsea, and Christian in Cornhill — Act One, Scene Six and Act Two, Scenes Eleven and Twelve) the parallels and contrasts implicit in the play can be underlined.

NOTE TO THE DESIGNER

The play is episodic, but should be staged to flow as continuously as possible. The action takes place between 1847 and 1918, and moves between the Broch Sands; 72 Broadsea; the laundry at Philorth House; New York and the Asylum at Cornhill. The set must be able to show simultaneous action in two different areas (Act One, Scene Six: New York and 72 Broadsea are shown at the same time; and Act Two, Scene Nine: Broadsea road and the interior of 72 Broadsea). These five areas can be defined by shape, lighting and the minimal use of naturalistic props. Picturesque detail should be avoided.

GENERAL NOTE

Time, place and character have been condensed in the play. Where the play differs from *The Christian Watt Papers,* the Papers should be referred to as Christian's own account of those years.

NOTES ON THE TEXT

1. I have assumed that George was fourteen in 1879, as Christian states in the *Papers*. (Page 116). He was, in fact, probably born in 1863, and so aged sixteen in 1879.
2. Christian was in America sometime between 1855 and 1857. A suitable song from the period should be used.
3. Handfast: — An agreement drawn and guaranteed insuring that Christian's legacy and 72 Broadsea would remain with her parents in the event of her death. It resembles an engagement. If a child was not conceived within a year and a day the contract could be dissolved with no liability.
4. Helen Watt in fact died on 30th December 1860. For the purposes of this play it was necessary to date this event thirteen years later.
5. *Wee Wifie*. A traditional Scottish song found in many comprehensive collections of Scottish folk music.

PROPERTIES

ACT ONE

Scene One
Box of matches (George)
List and pencil (Commissioner)
Gold Watch (ON STAGE)
Two knitting belts and sets of knitting (Mary and Annie)

Scene Two
Needle and thread, sewing basket (Helen)
Two loaded creels (ON STAGE)
Egg (Christian)

Scene Three
Assorted linen including a stained sheet, baskets, irons (ON STAGE)
Handkerchiefs (Murray)

Scene Four
Lantern (Simon)

Scene Five
Iron and washing etc. as in Scene Three (ON STAGE)
Washing (Murray)

Scene Six
Letter (Helen)
Bag (Christian)
Fancy tablecloth (Christian)
Envelope full of money (Christian)
Safety pins (Christian)
Sticky newspaper (Helen)
Red Shawl (Christian)
Wedding band (Annie)
Two pairs of boots (Mary and Annie)

Scene Seven
Basket (Mary)

Scene Eight . . . .

Scene Nine
Two babies (Christian)

ACT TWO

Scene One
Nets, Needle and course thread (Helen)
Knitting — a partially knitted sock (ON STAGE)

Scene Two
A piece of fishing equipment (James)

Shoe cleaning equipment (ON STAGE)
Pair of boots (ON STAGE)
Tea things, including a milk jug (ON STAGE)

Scene Three . . .

Scene Four
Washing including a shirt (ON STAGE)
Creel (Christian)
Roll of wallpaper (Tommy)

Scene Five . . .

Scene Six
Pinny (Bella)

Scene Seven
Bag — as in Act One, Scene Six (ON STAGE)
Coat (ON STAGE)

Scene Eight
Knitting (Annie)
Bag (Christian)

Scene Nine
Tilley lamp (ON STAGE)
Can of paraffin (ON STAGE)
Bucket (ON STAGE)
Letter (Mary)
Matches (ON STAGE)

Scene Ten
Large door key (ON STAGE)
List and pencil (Commissioner)

Scene Eleven . . .

Scene Twelve
Letter (Christian)

Scene Thirteen
Cigarette papers (George)
Tobacco in a pouch or tin (George)
Matches (George)
Newspapers (ON STAGE)